신심명
信心銘

신 심 명
信 心 銘

삼조승찬대사 著 / 시우송강 譯解

도서출판 도반

책을 펴내며

화두병에 걸려 무쇠로 만든 상자에 갇힌 꼴이 되어서 스승님 화엄 선사(華嚴禪師)를 찾아갔을 때, 스승님은 내 병을 묻지도 않았고 특별한 법문도 하지 않으셨다. 늘 나와 같이 나무하고 밭을 일구셨다. 그러면서 가끔씩 당신께서 공부하시던 말씀을 스쳐가는 바람처럼 해 주셨다.

스승님의 방에는 단정하나 힘 있는 서체로 쓴 액자가 하나 걸려 있었다. 동산(東山) 노스님이 쓰신 신심명(信心銘)이었다. 2년 동안 스승님을 모시며 방청소나 시중을 들면서 매일 한두 번은 액자의 글을 읽었다. 그러기를 1년여, 나는 신심명의 처음 네 구절에서 스승님의 모습을 보게 되었다. "도에 이르는 것은 어려울 것이 없다. 오직 자기 뜻에 맞춰 취사선택하는 것을 놓으면 된다. 다만 미워하지도 않고 애착하지만 않는다면, 확 트여 분명해질 것이다."스승님이 바로 그러셨다. 그것을 안 순간 나를 가두고 있던 무쇠상자는 사라졌었다.

참 잘살게 된 요즘, 의외로 힘들어하는 사람들을 많이 만났다. 왜 힘들까를 살펴보면 바로 자기 뜻대로 되길 바라기 때문이었다. 그런데 이 '뜻대로'라는 것이 본래 자기의 것이 아니라 바깥에서 들어온 것이었다. 밖에서 들어온 것이 주인 노릇을 하니, 주인은 되레 끌려다니고 있는 셈이다. 본디 자기의 참마음에는 괴로움이 없었건만, 밖에서 들어온 지식(정보)이 괴로움을 만들어 버린 것이다.

삼조 승찬(三祖僧璨) 대사는 20년이 넘는 세월을 문둥병으로 고생하셨다. 당시로서는 나을 수 없는 하늘의 형벌이라는 이 병을 앓으면서 사람대접을

받지도 못했다. 그러니 그 괴로움이 어떠했겠는가. 하지만 혜가 대사를 만나 참마음을 보게 된 순간 짓누르던 업장(業障)의 짐을 벗어버리고 해탈하였으며, 불가사의하게도 문둥병까지 나았다.

『신심명』은 승찬 대사께서 마음으로 읊은 해탈의 노래이니, 힘들어하는 모든 이들이 승찬 대사를 만나 해탈의 기쁨을 누리길 바랄 뿐이다.

불기 2557년 동안거 백일기도 중에
개화사에서 시우 송강 합장

차례

삼조 승찬(三祖僧璨) 대사   12

제목의 뜻과 내용의 특징   24

신심명 01   31
   송강 해설 도에 이르는 것은 어렵지 않다

신심명 02   40
   송강 해설 자기 뜻이 마음의 병이 된다

신심명 03   45
   송강 해설 자기 생각에 속지 말라

신심명 04   51
   송강 해설 한쪽으로 쏠리지 말라

신심명 05   57
   송강 해설 생각과 언어를 넘어선 절대의 경지

신심명 06   65
   송강 해설 오직 망견을 쉬어라

신심명 07   71
   송강 해설 마음도 대상도 모두 공한 것

신심명 08   84
   송강 해설 집착하면 법도를 잃는다

신심명 09 92
　　송강 해설 바깥 경계 멀리한다고 깨닫는 것 아니다

신심명 10 100
　　송강 해설 마음으로 마음을 찾지 말라

신심명 11 108
　　송강 해설 모든 견해를 다 놓고 쉬어라

신심명 12 114
　　송강 해설 마음에 분별 없으면 만법이 한결같다

신심명 13 119
　　송강 해설 양극단이 사라지면 중도도 없다

신심명 14 125
　　송강 해설 분별없는 것이 바른 믿음이다

신심명 15 130
　　송강 해설 참마음에는 남도 나도 없다

신심명 16 136
　　송강 해설 시간과 공간에 걸리지 않는 자리

신심명 17 140
　　송강 해설 지켜야 하는 것이 무엇인가

신심명 18 145
　　송강 해설 말로 표현할 수 없는 자리

중국 선종의 제3대 조사 승찬 대사 진영(眞影)
– 중국 삼조사(三祖寺) 소장

삼조 승찬(三祖僧璨) 대사

중국선종의 제3대 조사이신 승찬 대사에 관한 기록은 중국의 선종관계 기록의 몇 곳에서 보이고 있지만, 아주 간략한 내용뿐이다. 여기서는 『경덕전등록(景德傳燈錄)』 제3권의 혜가 대사와 승찬 대사에 대한 기록에 의거하여 정리해 본다.

중국 수대(隨代)의 선승인 승찬 대사(? ~606)는 서주(徐州) 출신으로 출가 전의 성명도 알려져 있지 않다. 여러 기록을 종합해 본다면 젊은 시절 풍질(風疾-문둥병)에 걸려 여러 지역을 방랑했던 것으로 짐작된다.

「달마(達磨, 達摩) 대사께서 소림(少林)에서 혜가(慧可) 대사에게 교화를 부탁하고 서쪽으로 돌아가신 뒤에, 혜가 대사가 이어서 현풍(玄風-심오한 가르침, 불법)을 드날릴 법제자를 널리 구하였다. 북제(北齊)의 천평(天平) 2년(송원주宋元注에 따르면 천보天保 2년 신미년辛未年즉 551년이어야 맞다 하였음)에 이르자 마흔 살이 넘어 보이는 한 거사가 자기 이름도 밝히지 않은 채로 불쑥 찾아와서 대사께 여쭈었다.

"제자의 몸이 풍질(風疾-문둥병)에 걸렸습니다. 청컨대 저의 죄를 참회시켜 주십시오."

대사께서 말씀하셨다.

"죄를 가져온다면 자네를 참회시켜 주겠네."

거사가 묵묵히 있다가 말씀드렸다.

"죄를 찾아도 찾을 수가 없습니다."

대사께서 말씀하셨다.

"내가 그대의 죄를 참회시켜 마쳤다. 마땅히 불법승(佛法僧)에 의지하여 살아야 하느니라."

"지금 스님을 뵙고 이미 승보(僧)는 알았습니다만, 무엇을 불보(佛)라 하고 법보(法)라고 하는지를 모르겠습니다."

대사께서 말씀하셨다.

"이 마음이 곧 불보이고 이 마음이 곧 법보이다. 법과 불이 둘이 아니며, 승보도 또한 그러하니라."

"오늘에야 비로소 죄의 성품이 안에도 있지 않고 밖에도 있지 않으며 중간에도 있지 않음을 알았습니다. 마음이 그러하듯이 불보와 법보도 둘이 아닙니다."

대사께서 깊이 법기(器)라고 여겨 곧 머리를 깎게 하고 말씀하셨다.

"그대는 나의 보배이니, 이름을 승찬(僧璨-승가의 옥구슬)이라 하라."

그해 3월 18일에 광복사(光福寺)에서 구족계를 받으니, 그로부터 점차 병이 나아져서 2년 동안 대사를 곁에서 모셨다. 대사께서 이윽고 당부해 말씀하셨다.

"보리달마 대사께서 멀리 천축으로부터 오셔서 정법안장(正法眼藏-깨달음의 본체)을 은밀히 내게 맡기셨다. 내가 이제 그대에게 정법안장과 아울러

달마 대사께서 믿음의 표시로 주신 가사를 주노니, 그대는 마땅히 잘 지키고 보호하여 단절되지 않도록 하여라. 나의 게송을 들어라.

본래연유지(本來緣有地)하야
인지종화생(因地種華生)하나
본래무유종(本來無有種)이면
화역부증생(華亦不曾生)이리

본래 땅이 있음을 반연하여
땅으로부터 씨앗이 꽃을 피우나
본래 씨앗이 있지 않았다면
꽃도 또한 일찍이 피지 않았으리."

대사께서 가사와 법을 전하시고는 또 말씀하셨다.
"그대가 내 가르침을 받았으나 마땅히 깊은 산속

에 들어가 교화에 나서지 말라. 곧 나라에 어려움이 있을 것이다."

승찬이 여쭈었다.

"스승님께서 이미 미리 아시니, 바라옵건대 가르침을 베푸소서."

대사께서 말씀하셨다.

"내가 아는 것이 아니다. 이는 달마 대사께서 (스승이신) 반야다라 존자의 예언인 '마음 속에 두면 길하나 밖으로 드러나면 흉하다'는 것을 전하신 것이다. 내가 연대(年代)를 따져 보니 바로 지금이다. 마땅히 앞의 말을 자세히 생각하여 세상의 재난에 걸려들지 말라. 그러나 나는 또한 과거생의 허물이 있어서 지금 갚아야 한다. 잘 가고 잘 행하다가 때가 되면 전하도록 하라."」

[이상은 『경덕전등록(景德傳燈錄)』 제3권 혜가 대사조에 있는 승찬 대사 관련 부분을 그대로 번역한 것임]

「승찬 대사는 법을 전해 받고는 서주(舒州)의 환공산(晥公山)에 은둔하셨다. 그러다가 후주(後周)의 무제(武帝)가 불법을 파멸시키려 하자 대사께서는 태호현(太湖懸) 사공산(司空山)을 오가시면서 일정한 거처 없이 10년을 지내셨다. 당시 사람 중에 승찬 대사를 아는 이가 아무도 없었다.

수(隋)나라 개황(開皇) 12년 임자년(壬子年, 592)에 열네 살에 불과한 도신(道信)이라는 사미가 찾아와서 대사께 절하며 말씀드렸다.

"바라옵건대 큰스님께서 자비를 베풀어 해탈의 법문을 말씀해 주옵소서."

대사께서 말씀하셨다.

"누가 너를 속박했느냐?"

"아무도 속박하지 않습니다."

"그렇다면 어찌하여 해탈을 구하는가?"

도신이 이 말 끝에 크게 깨닫고 9년을 힘껏 모셨다.

뒤에 길주(吉州)에서 구족계(具足戒)를 받고 더욱 열심히 시봉하였다. 대사께서는 자주 깊고 미묘한 법으로 도신을 시험하다가 인연이 익었음을 알자 곧 가사와 법을 부촉하고서 게송을 읊으셨다.

화종수인지(花種雖因地)하야
종지종화생(從地種花生)이나
약무인하종(若無人下種)이면
화종진무생(花種盡無生)이니라.

꽃과 종자는 비록 땅을 의지하여
땅으로부터 종자와 꽃이 나지만,
만일 종자를 뿌리는 사람 없으면
꽃도 땅도 다하여 생겨남 없도다.

대사께서 다시 말씀하셨다.
"옛날에 혜가 대사께서는 나에게 법을 전한 후

바로 업도(鄴都)로 가시어 30년 동안 교화하시다가 입적하셨는데, 내가 이제 그대를 만나 법을 전했거늘 어찌 여기 머물겠는가."

그리고는 곧 나부산(羅浮山)으로 가시어 2년 동안 유행하시다가 다시 옛터로 돌아오셨다. 한 달이 지나자 사대부와 백성들이 모여 크게 단(檀)을 마련하고 공양을 올렸다.

대사께서는 사부대중에게 마음의 요체를 널리 펴시고 나서 법회를 하던 큰 나무 아래에서 합장한 채로 서서 임종하시니, 이때가 수나라 양제(煬帝) 대업(大業) 2년 병인년(丙寅年, 606) 10월 15일이었다. 뒷날 당나라 현종(玄宗)이 감지(鑑智) 선사라고 시호를 내렸고, 사리탑의 탑호(塔號)를 각적(覺寂)이라 하였다.

송(宋)나라 경덕(景德) 원년(元年) 갑진년까지는 무릇 4백 년이 된다.」

[이상은 『경덕전등록(景德傳燈錄)』 제3권 승찬 대사조에 있는 앞부분을 그대로 번역한 것임]

▶『경덕전등록(景德傳燈錄)』은 승찬 대사께서 세상에 머무셨던 시대로부터 4백여 년이 흐른 뒤의 기록이다. 물론 전대의 기록에 의거하여 만들었을 것이다. 그렇지만 아마도 완벽한 것은 아닐 것이다.

마흔이 넘도록 문둥병에 걸려 천대받으며 돌아다닌 세월 동안 얼마나 죽음을 많이 생각했을 것이며, 또한 업장(業障)에 대한 의문이 많았겠는가. 이 간절함이 승찬 대사의 깨달음에 절대적인 밑거름이 되었음은 말할 것도 없다.

우리가 비록 마음 공부한다고 애를 쓰고는 있으나 간절함이 부족하면 불보살이 옆에 계셔도 아무 소용이 없다. 선사들께서 깨달으신 인연이 너무나 간단한 것처럼 보이지만, 그것은 결과만을 요약한 것일 뿐이다. 마음속 깊이 갈무리한 의심과 정진력은 밖으로 쉽게 드러나는 것이 아니다. 비록 아무도 알아주지 않더라도 머리에 붙은 불을 끄듯이 간절하게 공부하면 반드시 결과가 있게 마련이다.

『경덕전등록(景德傳燈錄)』의 내용 중에서 예언에 대한 말씀이 있었는데, 지혜가 발현되면 시대의 흐름 정도는 미리 감지할 수 있다. 그런 점에서 반야다라 존자로부터 내려온 예언이라고도 볼 수 있겠지만, 오히려 혜가 대사와 승찬 대사의 지혜가 이미 모든 것을 감지했다고 보는 것이 더 타당할 것이다. 다만 인력으로 막을 수 있는 일과 그렇지 못한 일이 있음을 잘 알아 슬기롭게 대응함이 필요할 것이다.

중국 선종 제2조 혜가에서 혜능까지
- 우상단 혜가 대사 상, 좌상단 승찬 대사 상
- 해인사 33조사 탱 중에서 (조선 중기 작품)

제목의 뜻과 내용의 특징

『신심명(信心銘)』은 사언절구(四言絕句) 140구(句)로 총 584자로 된 시문(時文) 형식의 글이다. '명(銘)'이라는 말은 '마음에 깊이 새겨둘 만한 내용을 시적으로 읊은 것'이라는 뜻으로, 저술의 한 형식에 속한다.

승찬 대사는 이 글 속에 마흔 가지의 대립적 문제를 제시하면서, 어느 한쪽의 편견에 치우치면 잘못되는 것임을 지적하여 절대중도(絕對中道)의 길로 나아가게끔 우리를 인도한다.

'신심(信心)'은 '믿음의 마음'이라는 뜻도 되고, '마음에 대한 믿음'이라는 뜻도 된다. '믿음의 마음'이란 모든 그릇됨으로부터 벗어나 맑고 깨끗한 본래의 마음자리로 돌아간 것을 뜻한다. 한편 '마음에 대한 믿음'이라고 할 때의 '마음'은 허공처럼 빈 본연청정(本然淸淨―본래로 맑고 깨끗함)의 마음이다. 그러므로 '믿음의 마음'이라고 하거나 '마음에 대한 믿음'이라고 하거나 두 가지 해석이 모두 궁극적으로 같은 말이다.

불교에서 말하는 '믿음'은 무엇이며, '믿음의 마음'은 어떤 것일까?『대승기신론(大乘起信論)』에서는 믿음에 네 가지가 있다고 정의했다.

첫째는 우주 일체 존재의 근본인 진여를 믿는 것이다. 이 믿음은 무상한 현상에 끌려다니는 것을 막아 준다.

둘째는 진여가 인격체로 나타난 부처님을 믿는 것이다. 이 믿음은 항상 부처님을 가까이하고 공양하고 공경하면서 좋은 자질을 일깨워 부처님과 같은 사람이 되게 한다.

셋째는 부처님께서 가르쳐 주신 교법을 믿는 것이다. 이 믿음은 항상 바른 수행을 가능케 해 준다.

넷째는 부처님의 제자인 수행자를 믿는 것이다. 이 믿음은 자리이타(自利利他)의 실천을 본받고 항상 모든 보살들을 즐겨 친근히 하여 참다운 수행을 따라 하게끔 한다.

만일 누구든지 이러한 믿음을 일으킨다면 능히 불법의 세계에 들어가서 모든 공덕을 이루게 되며, 모든 장애를 뛰어넘어 위없는 깨달음을 얻어 성불하게 된다.

그러므로 부처님께서는 『화엄경(華嚴經)』에서 이렇게 말씀하셨다.

「믿음은 도의 근원이고 공덕의 모체이니
일체의 모든 좋은 법을 증장시켜서,
의심의 그물을 끊고 애욕에서 벗어나
열반의 위없는 도를 열어 보이니라.

신위도원공덕모(信爲道元功德母)
장양일체제선법(長養一切諸善法)
단제의망출애류(斷除疑網出愛流)

개시열반무상도(開示涅槃無上道)」

바른 믿음이 없으면 수행도 어렵고 새로운 세계를 여는 것도 어려우며, 자신의 망상을 깨기도 어렵고 애착의 그물에서 벗어나기도 어렵다. 그러니 어찌 깨달을 수 있겠는가. 그러므로 용수(龍樹) 보살은 『대지도론(大智度論)』에서는 이렇게 정리했다.

「부처님께서 가르치신 진리의 큰 바다는 믿음으로 능히 들어간다. – 불법대해 신위능입(佛法大海信爲能入)」

경론에서 설명한 것을 토대로 정리해 보면 바른 신심이 되려면 다음의 네 가지가 갖추어져야 한다.
(1) 모든 이들의 어려움과 괴로움을 다 포용하고 그들을 성불(成佛)의 길로 인도하려는 '넓고 큰마음'인 광대심(廣大心)을 갖추어야 한다.

(2) 수행을 하다가 어떤 어려움을 만나더라도 그것은 나의 잘못 때문이지 결코 부처님의 가르침이 잘못된 것은 아니라는 굳은 마음으로 더욱 노력해 가는 '물러나지 않는 마음'인 불퇴심(不退心)을 갖추어야 한다.

(3) 삿된 무리들이 불법(佛法)을 훼손하려 할 때 비겁하게 숨지 않고 용기 있게 물리치는 '용기 있는 마음'인 용맹심(勇猛心)을 갖추어야 한다.

(4) 항상 부처가 되겠다는 것을 잊지 않는 '으뜸가는 마음'인 제일심(第一心)을 갖추어야 한다.

이상의 네 가지가 온전히 갖추어졌을 때 비로소 신심 있는 불자라고 할 수 있는 것이다.

자신을 살폈을 때 어떠한가? 지금 바른 믿음을 갖추고 있는가? 도반이나 스승 또는 부처님의 가르침에 대해 확고한 믿음을 지니고 있는가?

한순간의 의심은 부질없는 분별(分別)을 일으키게 되고, 이 분별은 갖가지 괴로움의 원인이 된다.

그러므로 신심(信心)은 자신의 망상을 비워서 허공과 같이 만들고, 그 빈 마음에 진리라는 것만을 새기는(銘) 것이다. 그러나 마지막엔 그 허공 같은 빈 마음마저도 버리고 진리라는 것도 놓아서 무심적정(無心寂靜)의 경지에 이르러야만 세상과 자신이 고요하고 평화롭게 되는 것이다. 이 경지에 이르면 세상이 참으로 아름답다는 것을 스스로 알게 될 것이고, 진정한 자유라는 것이 무엇인지를 깨닫게 될 것이며, 햇빛 같은 지혜를 펼칠 수 있게 될 것이다.

삼조 승찬 대사 상
— 중국 광동성 운문사(대각선사)에 조성해 모셔 놓은 것

신심명 01 도에 이르는 것은 어렵지 않다

지도무난　　유혐간택
至道無難이요 唯嫌揀擇이니

단막증애　　통연명백
但莫憎愛하면 洞然明白이라.

도에道 이르는 것은至 어려울 것이難 없다無.
오직唯 가려서揀 선택함을擇 꺼릴 뿐이다嫌.
다만但 미움과 사랑의 편견만憎愛 없다면莫,
막힘없이 뚫려洞然 뚜렷하고 환할 것이다明白.

....

지도(至道)

자전(字典)에 '지극한 도'라고 했고, 또 그렇게 번역해 왔음. 대도(大道)라는 말과 같은 뜻임. 그러나 여기서는 '도에 이르는 것'이라고 번역함.

간택(揀擇)
가려서 선택함.

증애(憎愛)
'미움과 사랑'이라는 뜻이지만 여기서는 양극단에 치우친 편견을 뜻함.

통연(洞然)
막힘없이 뚫린 시원한 상태.

명백(明白)
아주 뚜렷하고 환함.

송강 해설

　이 네 구절은 『신심명』 전체를 대표하는 것이라고 할 수 있다.

　'지도(至道)'라는 용어는 자전(字典)에도 '지극한 도'로 설명되어 있다. 그리고 지도무난(至道無難)은 모두가 '지극한 도는 어렵지 않다'로 번역했다. 그런데 원래 이 용어를 구사한 중국 선종(禪宗)의 삼조(三祖) 승찬대사(僧璨大師)의 『신심명(信心銘)』은 네 글자로 문장을 만들었기에 생략된 글자가 많다고 봐야 한다. 그래서 다른 각도에서 접근해 보려 한다.

　'도(道)'는 무엇이며 '지극한 도'는 또 무엇인가? 사실 '도(道)'는 말로 설명해 봐야 별로 효과가 없는 것이지만, 중국의 노장사상에서는 '만물을 만들어 내는 모체(母體)로서의 실재(實在)이며 만물을 존재케 하는 법칙'이라는 뜻으로 사용하였다. 불교를 중국에 소개하고 경전을 번역하는 스님들은 바로 이

노장사상에서의 '도(道)'라는 용어를 불교 내에 흡수했던 것이다. 그 후 선불교가 크게 일어나면서 깨달음에 대한 모든 것은 도(道)라는 말로 통하게 되는 것이다. 이처럼 '도(道)'라는 말 자체가 이미 어떤 꾸밈을 배제한 특수한 성격이라고 볼 수 있다.

그런데 승찬 대사께서 과연 '지극한 도'라고 꾸며서 말씀하실 필요가 있었을까? 만약 아주 특수하게 '지극한 도'라고 사용했다면 뒤의 '무난(無難)'은 참 어색하다. '일체의 설명이 끊어진 이치'로서의 '지극한 도'였다면 '어려움이 없다'는 이 설명이야말로 형편없는 군더더기가 되고 만다. 만약 위의 뜻으로 사용했다면 '또 다른 쉬운 도'가 있다는 말이 된다. 과연 이렇게 도(道)를 이리저리 분별해 말했을까?

따라서 '지도무난(至道無難)'에서 '무난(無難)'을 어떤 행위에 대한 설명으로 보고, '지도무난(至道無難)'을 '도에 이르는 것은 어려울 것이 없다'로 풀이한다. 그래야만 뒤의 '가려 선택하다'는 뜻인 간택

(揀擇) 등의 행위와 연결되는 것이다.

도(道)에 이르는 것은 사실 어렵지 않다. 우리는 이미 도(道) 안에서 살고 있기 때문이다. 도(道)란 우리의 삶을 떠난 다른 곳에 있는 것이 아니다. 이미 '도(道)'와 더불어 살고 있으니, 사실 이르고 말고 할 것이 없다. 하지만 우리가 세상만사를 '이익 되는 것'과 '손해 보는 것'으로 쪼개어 취사선택하는 순간 도(道)와 멀어진다. 곧바로 '좋은 것'과 '싫은 것'이 생길 것이며, 좋은 것을 갖지 못해 괴로워지고 싫은 것을 피하지 못해 괴로워진다. 괴로우면 이미 도(道)와는 멀어진 것이다.

도에 이르면 누구나 자유롭고 행복하다. 그런데 왜 모두들 도(道)를 보지 못하는가? 그릇된 지식(知識)과 뒤틀린 감정(感情)의 포로가 되어 있기 때문이다.

사람은 태어나면서부터 끝없이 지식의 습득을 요구받으며 살고, 또한 상대로부터 감정을 표현하라고 요구받으며 살고 있다. 그러므로 세월이 흐를수록 머리는 지식으로 가득 차고, 가슴은 온갖 감정들의 놀이터가 되어 있다.

지식과 감정이 나쁜 것일까? 그렇지는 않다. 바른 지식은 우리의 삶을 보다 편리하게 해 주고, 순수한 감정은 우리의 삶을 다채롭고 풍요롭게 해 준다. 하지만 그릇된 지식과 뒤틀린 감정에 끌려가게 되면 마음은 곧 안정을 잃게 되고 혼란에 빠진다. 공평무사하고 한결같은 마음이라야 곧 도(道)와 하나가 될 수 있다.

우리가 도에 이르기 위해 히말라야를 올라야 되는 것도 아니고 백일 단식을 해야 하는 것도 아니다. 삼천배를 수만 번 해야 되는 것도 아니고, 잠을 자지 않고 종일 좌선하길 수십 년간 해야 되는 것도 아니다. 이런 어려운 일을 하는 사람 중에는 도에 가까운 사람들도 있지만, 더 고집스럽고 강한 편견을 가진 이들도 많다.

본래 우리의 마음은 공(空)하다. 비어 있는 마음은 청정하며, 청정한 마음은 공평무사하고 한결같은 상태이다. 그러므로 본래의 마음을 회복하기만 하면 도(道)와 하나가 되는 것이다.

'미워하거나 사랑하지 말라'는 것은 목석(木石)처럼 살라는 뜻이 아니다.

한 보살님이 찾아와 울먹이며 말했다.

"우리 부부는 10년 동안 한 번도 다투지 않고 사랑하며 살았습니다. 그런데 남편이 갑자기 같이 살기 싫다며 집을 나가서 돌아오질 않습니다."

생각이 다르면 다르다는 것을 말해야 하고, 싫어하는 것이 있으면 싫다고 해야 한다. 그것이 사랑이다. 사랑하는 사람들이라면 좋은 것과 싫은 것을 서로가 포용할 수 있어야 하기 때문이다.

성인(聖人)도 기뻐하고 슬퍼하며, 좋아하고 싫어한다. 자유롭고 화합하는 이를 만나면 기뻐하고 좋아하며, 뒤틀리고 다툼을 일삼는 사람을 만나면 슬퍼하고 싫어하는 것이다. 그러므로 칭찬하여 좋은 것을 더욱 북돋아 주고, 꾸중하여 나쁜 것을 그치게 한다. 그러나 그 기쁨과 슬픔, 좋아함과 싫어함에 끌려가지는 않는다. 따라서 착한 사람만 편애하지도 않고, 나쁜 사람을 증오하지도 않는다.

'미워하거나 사랑하지 말라'는 것은 증오(憎惡)와 애착(愛着)이라는 대표적인 극단에 떨어지지 말라는 뜻이다.

극단에 치우치면 지혜와 멀어지게 하며, 자비심도 사라지게 한다. 만약 지혜와 자비가 없는 사람이라면 도(道)를 보지 못한다.

도에 이르면 어떻게 될까? 자신의 앞길을 가로막고 있는 장벽이 허물어지게 된다. 모든 것이 환하게 드러나 가야할 길과 가지 말아야 할 길이 한눈에 보인다. 가야 할 길을 알고 그 길을 가니 항상 자유롭고, 가지 말아야 할 길을 알고 가지 않으니 항상 편안하다.

비 오는 밤

비가 필요한 사람들을 생각하며 기뻐하고,
수해 입을 사람들을 생각하며 염려하다.

신심명 02 자기 뜻이 마음의 병이 된다

호리유차
毫釐有差하면

천지현격
天地懸隔하나니

욕득현전
欲得現前이어든

막존순역
莫存順逆하라.

아주 작은毫釐 차이라도差 있으면有

하늘과 땅처럼天地 멀어지나니懸隔,

앞에前 나타남을現 얻고자得 한다면欲,

따름과順 거슬림을逆 두지存 말라莫.

호리(毫釐)
1) 자 또는 저울눈의 호(毫)와 이(釐) 2) 매우 적은 분량(分量)
*이(釐)는 1의 100분의 1이고, 호(毫)는 이(釐)의 10분의 1임.

현격(懸隔)
사물(事物)의 차이(差異)가 뚜렷함. 차이가 매우 심함.

위순상쟁 시위심병
違順相爭이 **是爲心病**이니
불식현지 도로념정
不識玄旨하고 **徒勞念靜**이로다.

어긋남과違 따름이順 서로相 다툼은爭

바로是 마음의心 병이病 됨이니爲,

심오한玄 뜻은旨 알지識 못하고不,

괜히徒 생각念 고요히 하려靜 애쓰도다勞.

....

현지(玄旨)
현묘한 뜻. 심오한 뜻.

송강 해설

 눈앞이 확 밝아지는 경지에 이르는 것이 수행자의 목표이다. 부처님과 조사님들이 모두 그 경지에 이르셨으니, 노력하면 분명 누구나 이를 수 있을 것이다. 그런데 한 가지 문제가 있다. 비슷하게 하면 되지 않겠느냐는 타협적인 생각이다. 수행에서는 타협이 통하지 않는다. 자기의 참마음을 보려고 한다면 적당히 타협하려는 생각을 버려야 한다.

 '다만[但] 미움과 사랑의 편견만[憎愛] 없다면[莫] 막힘없이 뚫려[洞然] 뚜렷하고 환할 것이다[明白]'고 하였지만 '미움과 사랑의 편견'을 없애려고 노력해 본 사람은 그것이 얼마나 어려운 일인지를 알 것이다. 혼신의 힘을 다해도 정말 어려운 것이 바로 이 간단한 구절의 경지인 것이다. 하늘을 나는 어마어마하게 비싼 첨단의 비행기라도 작은 나사 하나가 풀리면 추락할 수 있다. 나사 하나의 상태에 따라 수만 리 하늘을 날 수도 있고 땅에 추락

할 수도 있는 것이다. 이처럼 아주 미세한 차이일지라도 결과는 생(生)과 사(死)로 갈린다.

'막힘없이 뚫려[洞然] 뚜렷하고 환한 경지[明白]'를 체득하고자 한다면 티끌만한 갈등도 있어서는 안 된다. 갈등이란 자기 뜻대로 되길 바라거나 남의 뜻을 거스르려는 데서 비롯된다. 누구나 다 그렇게 하면서 사는데 그게 무슨 문제가 되느냐고 할 수도 있다. 물론 평범하게 고뇌하며 남들처럼 살 수는 있다. 하지만 '막힘없이 뚫려 뚜렷하고 환한 경지'는 절대 불가능하다.

자기 뜻대로 하려는 데서 비롯되는 이 갈등이야말로 마음의 병이다. 마음은 모든 것을 이루는 뿌리다. 뿌리를 병든 상태로 두면서 가지나 잎이 건강하길 바라는 것이야말로 가장 어리석은 일이다.

본래 마음에는 병이 없었다. 자기 뜻대로 하려는 바로 그것이 사막의 신기루처럼 없던 병을 만든 것이다. 만약 누군가가 신기루를 쫓다 보면 결국 사막에서 죽고 말 것이다. 자기 뜻대로 하려고 하면서 마음 편하길 바라는 것은 마치 오른손으로는 불을 지피면서 왼손으로는 불을 끄려는 것처럼, 참으로 부질없이 헛수고를 만들어서 하는 격이다.

  그러므로 '자기 뜻'을 버리면 본래 병이 없는 마음을 깨달을 수 있을 것이다.

오른쪽으로 가면 삼조사(三祖寺) 승찬 대사를 뵐 수 있지만 왼쪽으로 가면 절 담장 옆을 지나 계곡 속으로 들어가고 만다.

03 자기 생각에 속지 말라

원동태허   무흠무여
圓同太虛하야 **無欠無餘**어늘

양유취사   소이불여
良由取捨하야 **所以不如**로다.

둥글기가圓 가없는 하늘과太虛 같아서同
모자람도欠 없고無 남음도餘 없거늘無,
참으로良 취하고取 버림捨 말미암아由
그 까닭에所以 하늘같지如 못하도다不.

태허(太虛)
『장자(莊子)』에서 천지만물의 근원인 무형의 도(道)를 '태허'라고 표현했음. 여기서는 '가없는 하늘'이라고 번역함.

불여(不如)
한결같지 못함. 태허와 같지 못함.

막축유연　　물주공인
莫逐有緣하고 **勿住空忍**하라
일종평회　　민연자진
一種平懷하면 **泯然自盡**하리라.

인연이緣 있다는 것도有 따르지逐 말고莫

공하다는空 인식에도忍 머물지住 말라勿.

한 가지로一種 안정된平 마음이라면懷

흔적 없이 사라져泯然 저절로自 다하리라盡.

∙∙∙

유연(有緣)
불보살을 만나 가르침을 듣는 기연이 있음을 뜻하는 말.

공인(空忍)
모든 것은 공하다는 인식.

송강 해설

　우리의 본래 모습인 도의 경지는 짐작할 수 있는 것이 아니다. 마치 저 드넓은 우주와 같아서 원만한 것이다. 그러기에 모자란다거나 남는다는 등의 말이 성립될 수 없다. 만약 어떤 사람이 모자란다고 좌절하거나 남는다고 좋아 어쩔 줄 모르고 있다면, 그는 자기의 생각에 속고 있는 것이다. 아주 객관적인 업무를 처리하는 은행에서는 그날 결산을 할 때 남아서도 안 되고 모자라서도 안 되는데, 그래서 은행원들은 모자라지도 남지도 않을 때 가장 편안한 것이다. 언제나 모자라지도 남지도 않는 것이 늘 평화로운 도인의 삶이다.

　앞에서 이미 도(道)에 이르고자 한다면 취사선택하지 말라고 설명했다. 오직 그렇게만 하면 곧 도(道)와 하나가 된다고 분명하게 밝혔다. 하지만 사람들의 의심이란 잠시도 가만 있질 않는다. 만약 누군가가 그 말을 듣고 그대로 믿어버린다면 바로 도인이 된다. 우리는 그런 사람을 최상근기(最上根機), 즉 최고의 자질을 갖춘 사람이라고 칭찬한다. 그런데 이 '최고의 자질을 갖춤'은 무언가를 많이 가졌다는 뜻이 아니다. 사실은 다른 사람들이 보물처럼 생각하는 분별과 망상을 갖고 있지 않은 것이다. 그래서 일반 사람들의 생각으로 보면 도인은 좀 모자라는 사람처럼 보이기도 한다. 일반 사람들은 도인을 보면서 이런 생각을 한다. "왜 저 고생을 자진해서 하는가? 왜 저렇게 바보처럼 남에게 다 뺏기며(또는 양보하며) 사는가?" 하지만 정작 도인의 입장에서는 사서 하는 고생도 없고, 뺏기는 이익(권리, 명예)도 없는 것이다.

어떤 이들은 공부하라고 하면 아직은 때가 되지 않았다는 듯이 "인연이 되면 하겠지요."라고 한다. 마치 불보살이나 선지식이 때가 되면 자신을 공부시켜 줄듯이 생각한다. 인연이란 봄에 씨를 뿌리고 여름에 열심히 김을 맨 사람이 가을에 거두는 이치이다. 가만있는 사람에게 어떤 결정적인 것은 결코 오지 않는다.

또 어떤 사람은 공부하라고 하면 모든 것을 이미 통달한 듯이 "세상이 다 공(空)한데 무슨 공부를 할 것이 있습니까? 허허…"하며 헛웃음을 날린다. 그러나 정작 하루 동안 그와 함께 다니다 보면 세상에 대한 온갖 불만을 쏟아내느라고 쉴 틈이 없는 것이다.

자신이 그 어떤 고정적인 관념을 가졌더라도 그것을 놓아버리지 않는다면 결코 마음의 평화는 없다. 비록 그 관념을 정리하느라 평생이 걸렸더라도, 혹은 피 말리는 외국 생활로 박사학위를 따며 정리한 관념일지라도 그것은 진정한 보물이 아니다. 그런 것에 눈이 가리면 참된 자기 모습이 보이지 않으며, 진짜 세상이 보이지 않는다. 진짜는 본래 원만하다. 우리가 바깥 것에 눈독을 들이는 순간부터 그 원만한 자신의 보물을 등지고 살았을 뿐이다. 바깥 것 눈독 들이느라 고생할 만큼 하지 않았는가? 이제 놓아버려야 한다. 그러면 자신의 눈을 가리던 그 모든 것들이 저절로 사라질 것이며, 다시는 자신을 괴롭힐 것이 없을 것이다.

자신의 잣대나 저울로 재거나 달지 않으면
이 상태로 완벽하다.

04 한쪽으로 쏠리지 말라

지동귀지　　지갱미동
止動歸止하면 **止更彌動**하나니

유체양변　　영지일종
唯滯兩邊이라 **寧知一種**가

움직임을動 그쳐止 그침으로止 돌아가면歸
그침이止 다시更 더 크게彌 움직이나니動,
오직唯 양兩 측면에邊 머물러 있음이라滯
어찌寧 둘이 한가지임을一種 알겠는가知.

동(動)과 지(止)

움직임과 멈춤. 움직임이란 번뇌 망상의 마음작용이 일어나는 것을 뜻하고, 멈춤이란 번뇌 망상의 마음작용이 멈추는 것을 뜻한다.

> 일종불통　　양처실공
> 一種不通하면 兩處失功하리니
>
> 견유몰유　　종공배공
> 遺有沒有요　從空背空이라.

한가지라는 것을一種 통달하지通 못한다면不
그침과 움직임의兩處 공적을功 잃으리니失
있음을有 버리려 하면遺 있음에有 빠지게 되고沒
공함을空 따르려 하면從 공함을空 등지느니라背.

유(有)와 공(空)

있음과 공함. 있음이란 존재의 실체가 있다고 생각하는 것이고, 공함이란 존재의 실체가 비어 없다는 생각이다.

송강 해설

　불교를 공부하는 사람이라면 무심(無心)이나 무념(無念)이라는 말을 들어보았을 것이다. 괴로움에서 벗어나려면 무념의 경지와 무심의 경지에 이르러야 한다는 것도 배웠을 것이다. 그런데 또 이것이 괴로움의 요인이 되고 만다. 마음을 없애려고 하다 보니 마음이 천방지축으로 더 날뛰고, 생각을 없애려고 하니 생각은 또 다른 생각들을 불러 모은다. 이런 식으로 해결하려는 것은 완전히 잘못 이해했기 때문이다. 무심은 쓸데없는 심리작용이 일어나지 않는 상태를 말하고, 무념은 불필요한 생각이 없는 상태를 뜻하는 것이다. 아무리 마음을 써도 자유로운 경지를 무심이라 하고, 종일 생각을 해도 괴롭지 않으면 그것이 무념인 것이다. 이것은 마치 거울이 종일 오고가는 영상을 비춰도 피곤하지도 않고 물들지도 않는 것과 같은 것이다.

　사람들이 괴로워하는 것을 보면 대개 변하는 것

을 받아들이지 못해서이다. 물론 좋은 방향으로 변하는 것이야 기뻐하겠지만, 좋은 쪽으로만 변하는 것은 세상에 없다. 그래서 자기 마음에 드는 방향으로 변할 때는 좋아하다가도, 다음 순간 싫어하는 방향으로 변하면 받아들이지 못하고 괴로워하는 것이다. 그래서 대상에 대한 집착을 끊는답시고 무조건 잊으려고 했더니 점점 더 대상은 강렬한 유혹으로 다가오는 것이 아닌가. 결국 집착을 끊는다는 생각에 집착하게 되고, 그 집착의 대상만 강렬해지고 마는 결과에 이르게 되는 것이다.

다행스럽게도 불교공부를 시작했더니 일체가 다 공(空)이라 하지 않는가. 그렇지, 세상의 모든 것은 다 비어 아무것도 없는 거야. 이렇게 생각하니 한결 편해지는 것 같다. 그래서 어떤 경우든 '다 공한데 뭐!' 하며 위안을 삼는다. 또한 자신의 관심거리를 애써 외면하려고 하고, 무관심한 체 해보는 것이다. 공이라는 생각으로 대상에 대한 관심을 억누

르려고 해 보지만 그건 잘못된 것이다. 당연히 괴로움으로부터 벗어나지도 못한다.

마음작용이란 실체가 없다. 번뇌가 본래부터 있어서 끝없이 일어나는 것이 아니다. 과거에 대한 집착이나 미래에 대한 망상을 일으키지만 않으면 본래 고요하고 맑은 것이다. 그것을 일컬어 그침이라고 하는 것이며, 번뇌가 소멸되었다고 표현하는 것이다. 불교는 결코 눈에 보이는 것들을 싫어하라고 가르치진 않는다. 거기에 자기의 생각을 붙여 끌려가지만 않는다면 결코 대상이 자신을 괴롭히지 않는다. 오히려 귀하고 고마운 존재인 것이다. 그러므로 세상 모든 것이 끝없이 변해간다는 이치를 바로 알아, 스치는 바람처럼 대하면 되는 것이다. 비었다는 공(空)은 한 순간도 멈춤이 없어서 정해진 실체가 없다는 가르침이며, 괴로움을 치유하려는 처방이다.

강물이 멈추면 강이라고 할 수 없고,
강물이 말라 없어져도 강이라고 할 수 없다.

05 생각과 언어를 넘어선 절대의 경지

多言多慮하면 轉不相應이요
다언다려   전불상응

絶言絶慮하면 無處不通이라.
절언절려   무처불통

말을言 많이 하고多 생각을慮 많이 하면多
더욱더轉 서로 통하지相應 못하게 되고不,
말을言 끊어버리고絶 생각을慮 끊어버리면絶
통하지通 못할不 곳이處 없느니라無.

....

전(轉)
한층 더. 더욱더.

상응(相應)
서로 통함. 서로 맞아 어울림.

귀근득지　　수조실종
歸根得旨요　**隨照失宗**이니
수유반조　　승각전공
須臾返照하면 **勝却前空**이니라.

근본으로根 돌아가면歸 종지를旨 얻고得
비춰지는 것을照 따르면隨 종지를宗 잃나니失,
잠깐 사이라도須臾 비춤을照 돌이키면返
의식 없는 것보다前空 오히려却 뛰어나니라勝.

귀근(歸根)
근본으로 돌아감. 본성자리로 돌아감.

득지(得旨)
종지(宗旨)를 얻음. 부처님과 조사님들이 일깨워 주려고 한 근본 뜻. 즉 해탈 열반의 경지에 이르는 것.

수조(隨照)

귀근((歸根)의 반대 상황. 즉 비춰지는 대상을 좇아감.

실종(失宗)

종지(宗旨)를 잃음. 해탈 열반의 경지에서 멀어짐.

수유(須臾)

잠시. 잠깐. 찰나보다 약간 긴 시간.

반조(返照)

대상을 좇던 것을 돌이켜 본성을 살핌.

전공(前空)

1) 눈앞의 대상을 공하다고 보는 것.
2) 깨닫기 전의 공인 무기공(無記空), 즉 의식과 감각이 없이 편안한 상태에 머무는 것. 삼매의 경지라고 착각하기 쉬움.

송강 해설

　인간이 가진 가장 뛰어난 도구가 언어라고 한다. 실제 언어만큼 편리한 것도 드물다. 그런데 상대가 심한 오해를 하고 있을 때 자기 마음을 전달하는 것만큼 어려운 것도 없다. 특히 정황 자체가 오해할 만한 경우에는 더더욱 그렇다. 그런 경험을 해 보면 언어가 진실을 전달하는데 얼마나 어설픈 도구인지를 알게 된다.

　상대와 마음이 통해버리면 그 다음에는 자기 마음을 설명하지 않아도 된다. 눈빛만으로 이미 통해버렸는데 굳이 시끄럽게 이러쿵저러쿵 설명한다는 것은 마치 뱀의 다리를 그리는 것과 같다. 만약 상대가 전혀 이해하려고 하지 않을 때는 차라리 가만 두는 것이 좋다. 이미 나와 통하지 않았기에 오해가 생긴 것이며, 이럴 때의 상대방은 자기의 말을 그대로 받아들일 마음자세가 아니다. 거기에다 설명한다고 말을 계속하면 더욱 왜곡이 심해지는 것이다. 그럴 때는 기다림이 필요하다.

내가 어떤 일에 대해 진실을 모를 때는 생각하지 않는 것이 좋다. 왜냐하면 쓸데없는 생각들이 구름처럼 피어나기 때문이다. 결국은 더욱 혼란스러워져서 진실을 알기도 전에 일을 그르치고 만다.

두 사람이 처음 보는 음식을 앞에 두고 서로 의견을 나눈다고 치자. 의견이 가장 빨리 소통되는 방법은 말도 하지 말고 생각도 하지 말고 먼저 음식을 먹는 것이다. 그 다음엔 서로 동일한 체험을 했기에 의견의 접근이 용이하다.

처음 보는 과일의 사진을 앞에 두고 있는 두 사람이 이 과일에 대해 가장 빨리 소통할 수 있는 방법은 무엇일까? 모르는 과일에 대해 말도 생각도 하지 않는 것이다. 물론 가능하다면 진짜 과일을 구해서 같이 먹어보는 것이 최선이라는 것은 말할 것도 없다.

부처님께서 이르셨다는 그 열반은 어디에 있는

것일까? 인도에 있을까? 보드가야의 보리수 아래에 있을까? 대각을 이루시던 그 새벽에 보신 샛별에 있을까?

석존께서는 온 천지를 한 바퀴 도신 후, 결국 자신의 성품을 보신 것이다. 그 이치를 알면 지금 자신이 서 있는 자리에서 곧 적멸해지겠지만, 만약 바깥에서 찾으려 들면 무량겁이 지나도 이루지 못할 것이다.

눈앞의 온갖 사물이 공(空)하다고 억지로 무관심하려고 들지 말라. 강한 부정은 또 다른 강한 집착일 뿐이다. 언제 세상이 자신에게 눈길이라도 주던가? 괜히 제 스스로 온갖 구실을 만들어 괴로워할 뿐이다. 그러니 구실을 만드는 그곳으로 돌아가 또다시 구실을 만들지만 않는다면 곧 적멸해질 것이다.

입춘 전야의 개화사 앞 설경
− 차도와 인도가 모두 눈으로 덮였으니 평등한가?

석존께서 보셨던 천차만별 속의 절대평등
- 왕사성 인근의 풍경

06 오직 망견을 쉬어라

전공전변　　개유망견
前空轉變은　**皆由妄見**이니

불용구진　　유수식견
不用求眞이요 **唯須息見**이라.

앞의前 공함이空 달라지는 것은轉變

모두皆 헛된妄 견해見 때문이니由,

참됨을眞 구하려求 하지用 말고不

오직唯 견해를見 쉬어야만息 하니라須.

전변(轉變)
바뀌어 달라지는 것.

송강 해설

눈앞 경계가 공하다고 하지만 그것은 곧 바뀌고 달라지는 것인데, 이것은 모두가 자신의 헛된 견해로 말미암은 것이다. 부처님께서는 일찍이 알라라 깔라마(Alāra Kālāma)와 웃다까 라마뿟따(Uddaka Rāmaputta)를 만나 무소유처정(無所有處定)과 비상비비상처정(非想非非想處定)의 경지에 이르렀으나 그것이 진정한 해탈이 아니라고 버리셨다. 수많은 선지식들도 아무런 생각이 없는 상태의 무기공(無記空)을 경계하셨다. 그런 것들은 진공묘유(眞空妙有)를 깨달아 해탈한 경계가 아니기 때문이다. 그런 경계들은 잠시 자신의 헛된 생각이 정지 상태에 있었을 뿐이다.

자신이 헛된 생각으로 상상하는 진리를 찾아봐야 여전히 망상일 뿐이다. 구름이 뒤덮었어도 해는 그 자리에 있었듯이, 자기의 망견으로 뒤덮였어도 청정한 자성자리는 제자리에 있는 것이다. 구름이

걷히면 해가 나타나듯이, 망견을 쉬기만 하면 자성 자리에 계합한다.

이 가파른 계단을 지팡이에 의지하여 오르는 백발의 노인에게 왜 오르시냐 물었더니, 마음을 편케 하기 위해서라고 했다.
- 중국 삼조선사(三祖禪寺) 오르는 계단에서

이견부주 　　신막추심
二見不住하야 愼莫追尋하라.

재유시비 　　분연실심
纔有是非하면 紛然失心이니라.

두 가지二 견해에見 머물지住 말고不

삼가愼 뒤좇아 가追 찾지를尋 말라莫.

잠깐이라도纔 시비를是非 하게 되면有

어지러이紛然 청정심을心 잃으리라失.

이견(二見)
옳음과 그름 등 대립되는 양극단의 견해.

실심(失心)
마음을 잃는다고 할 때의 마음은 청정심을 가리킴.

송강 해설

　인간세상의 대립과 충돌은 서로 반대되는 양극단의 견해 때문이다. 하나의 극단적인 견해를 갖는 것이야 자기의 뜻이겠지만, 자기와 다른 극단적인 견해를 가진 사람을 만나면 옳음과 그름을 따지게 되기에 문제가 되는 것이다.

　토론을 할 때 계속 자기 생각만 옳다고 주장만 하다가 끝내는 것을 흔히 볼 수 있다. 이것은 맞음과 틀림을 판가름하려고 하기 때문에 일어나는 현상이다. 이 세상은 옳음과 그름으로 나눌 수 있는 것이 아니다. 전체적으로 볼 때 서로 다른 것이 공존하는 것이다. 그럼에도 이 이치를 모르기에 끝끝내 자기 견해가 옳은 것을 강조하기 위해 온갖 이론을 동원하거나 혹은 상대방이 틀렸음을 증명하기 위해 갖가지 허물을 들춰내는 것이다.

　바로 이것을 그만두어야 한다. 아주 잠깐이라도 이처럼 분별하고 대립하면 충돌이 일어나고, 결국은 자기 마음만 어지럽게 되어 괴로워하게 된다.

여기 덕지덕지 붙어 있는 것은 단순한 돈이 아니라
밖으로 향하는 지나친 욕망이다.

07 마음도 대상도 모두 공한 것

일유일유　　일역막수
二由一有니　**一亦莫守**하라

일심불생　　만법무구
一心不生하면 **萬法無咎**니라

둘은二 하나로一 말미암아由 있나니有

하나도一 또한亦 지키지守 말라莫.

한一 마음이心 일어나지生 않으면不

만 가지萬 법에法 허물이咎 없느니라無.

이(二)
이견(二見) 즉 상대적 두 가지 견해.

일(一)
일심(一心) 두 가지 견해가 일어난 자리인 한 마음. 이것은 다음 구절에 일심불생(一心不生)이라고 했기 때문.

송강 해설

'둘은 하나로 말미암아 있다'는 이 구절에서 '하나'를 '중도(中道)'나 '지도(至道)' 또는 '절대(絕對)'로 보면 안 된다. 이렇게 해석하면 마치 상대적 편견이라는 것이 '중도, 지도, 절대'로부터 나오는 것처럼 되기 때문이다. '중도, 지도, 절대'는 상대적 편견인 '이견(二見)'을 초월한 상태인데, 초월한 상태에서 다시 '이견(二見)'이 나온다고 한다면 수행할 필요가 없어져 버리는 것이다.

두 가지의 상대적인 견해라고 하지만 이것은 하나의 마음에서 비롯된 것이다. 하지만 그 '마음'이라는 것이 고정적 실체라고 집착하는 순간 더 큰 문제를 만들고 만다. 사실 마음이라고 표현하지만 고정적 실체가 없이 끝없이 변화하는 공(空)의 상태를 마음이라고 표현한 것이다. 사람들이 흔히 '내 마음'이라고 말하는 것은 '마음 자체'가 아니라 '만들어진 관념'이나 '분별하는 상태'를 가리키는 것이다. 마음에서 분별이나 견해가 만들어져서 각자 그것을 고집하고 지키려 하기에 결국은 사람들은 불편해지고 세상이 시끄러워지는 것이다. 그러므로 '내마음'이라는 것을 고집해서는 안 된다. '내마음'을 고집하면 곧 '네 마음'이 앞에 나타나고, 마음대로 되지 않는 바깥세상이 적으로 등장한다.

흔히 원효 대사께서 해골에 담긴 물인 줄을 모른 채 맛있게 마신 뒤, 그 사실을 알고는 구토를 하다가 문득 깨달아 말씀하셨다고 소개되는 '분별하는 마음이 일어나면 갖가지 대상(法)에 대한 차별이 일어나고, 분별하는 마음이 사라지면 갖가지 대상의 차별도 사라진다(심생즉종종법생 심멸즉종종법멸〈心生則種種法生 心滅則種種法滅〉)'고 한 것이 바로 분별하는 마음이 세상의 차별을 만든다는 사실을 갈파한 것이다. 자기가 분별하고 계산하는 순간 대상이 좋아지기도 하고 싫어지기도 하는 것이며, 좋은 것은 갖지 못해 괴롭고 싫은 것은 곁에 있어 괴로워지는 것이다. 그러므로 승찬 대사께서는 분별심이 움직이지 않으면 모든 존재가 문제될 것이 없다고 하신 것이다.

무구무법　　　불생불심
無咎無法이요 **不生不心**이라

능수경멸　　　경축능침
能隨境滅하고 **境逐能沈**하니라.

허물이咎 없으면無 법이랄 것이法 없고無

나지生 않으면不 마음이라 하지心 않는다不.

주관은能 객관을境 따라서隨 소멸하고滅

객관은境 주관을能 좇아서逐 잠기느니라沈.

・・・

구(咎)
허물, 번뇌. 대상으로 인한 분별이나 집착 등.

법(法)
대상, 존재.

능(能)
능동적 위치에 있는 주관.

경(境)
주관의 상대가 되는 객관. 능(能)과 함께 쓸 때는 주로 소(所)를 사용함.

송강 해설

어떤 대상에 대한 자기의 분별심이 없어지면 그 대상이 싫다거나 좋다거나 함이 있을 수 없다. 그렇게 되면 그 대상이 보이거나 말거나 아무 상관이 없어지는 것이다. 대상이 아무런 문제가 되지 않는 상태이다.

대상에 대한 분별도 하지 않고 어떤 상상도 하지 않을 경우에는 '내 마음이 어떻다'는 표현을 하지 않는다. 맑고 고요한 상태에 있을 때는 '마음'이라고 인식하지도 않는다. 바로 마음이 아무런 문제가 되지 않는 상태이다.

꽃을 보면서 '참 아름답다'고 느낄 수 있다. 그러나 그 꽃에 대한 집착을 일으키지 않는다면 그 꽃이 눈앞에서 사라짐과 동시에 꽃으로 인한 그 어떤 심리작용도 남지 않고 소멸된다.

아주 비싸고 아름다운 다이아몬드 목걸이를 봤다고 하자. '참 멋있구나!' 하고는 더 이상의 심리작용이 전개되지 않는다면, 마치 거울에 비춰졌다가 사라지듯이 다이아몬드는 더 이상 존재하지 않게 된다.

이런 경지에 이르면 자기 마음대로 세상을 어떻게 하려고 하지 않으며, 또한 세상 그 무엇에도 마음이 끌려다니지 않는다. 바로 이것을 청정하다고 하는 것이며 자유자재하다고 표현하는 것이다.

승찬 대사께서 생사자재를 보이시기 위해
서서 입적하신 자리에 세운 입화탑(立化塔)

경유능경　　능유경능
境由能境이요 **能由境能**이니
욕지양단　　원시일공
欲知兩段인댄 **元是一空**이니라.

객관은境 주관으로能 말미암아由 객관이요境

주관은能 객관으로境 말미암아由 주관이니能,

주관과 객관 두 갈림을兩段 알고자知 할진대欲

원래로元 이것들이是 하나의一 공이니라空.

....

양단(兩段)
두 갈림. 두 종류. 주관(能)과 객관(境).

송강 해설

　천 원짜리만 아는 아이에게 오만 원짜리 돈을 주면 싫다고 돈 달라고 한다. 물론 이때의 돈은 천 원짜리 지폐를 뜻한다. 아이에게 오만 원짜리 지폐는 돈이 아닌 것이다. 아이의 인식세계에 아직 인식표가 만들어지지 않았기 때문이다. 하지만 교육을 통해 하나씩 인식표가 추가되면서 분별도 커지고 욕망도 덩달아 커져서 세상이 힘들다고 느끼기 시작하는 것이다. 아이들에겐 1억짜리 수표가 그냥 종이로 보인다. 그래서 다른 사람이 달라고 하면 아무런 괴로움 없이 그냥 주게 된다. 주관이 그 수표에 무심하기 때문이다. 아이들은 때가 덜 묻어서, 좋고 싫고 정도에 그치고 대개 괴로움까지는 가지 않는다. 순수한 아이들을 천진불(天眞佛)이라고 하는 까닭이다.

　객관의 존재성은 주관의 인식표에 의해 유무가 결정되며, 주관 또한 객관에 대한 집착 정도에 따라 괴로움의 유무가 결정된다. 주관과 객관의 본질은 무엇일까? 주관 때문에 괴로운 것일까? 아니면 객관 때문에 괴로운 것일까? 만약 괴로움이 생긴다면 그것은 연기의 법칙을 몰라서이다. 주관도 사실은 임시적으로 만들어질 따름이며, 객관의 유무나 가치성도 임시적으로 정해지는 것이다. 그것 자체가 좋고 나쁜 것도 아니며, 그 무엇이 괴로움을 갖고 있는 것도 아니다. 끝없이 변화하며 임시적인 모습을 쉼 없이 바꾸고 있다는 공(空)의 원리를 깨닫지 못하기 때문에 온갖 차별이 나타났을 따름이다.

시드니의 호텔에서 야경을 찍은 것으로 방 안의 모습과
창밖 항구의 불빛과 사진을 찍는 내 그림자가 함께 들어 있다.
—모두가 임시로 나타난 것이다.

08 집착하면 법도를 잃는다

일공동양   제함만상
一空同兩하야 齊含萬象이라
불견정추   영유편당
不見精麤어니 寧有偏黨가.

하나의一 공은空 양단과兩 같아서同
만 가지萬 모양을象 동등하게齊 품는다含.
세밀하고精 거칠음을麤 보지見 않거니不
어찌寧 한쪽에黨 치우침이偏 있겠는가有.

양(兩)
양단(兩段) 즉 앞에서 말한 주관(能)과 객관(境).
정추(精麤)
정밀한 것과 거친 것. 두 가지 차별 상.
편당(偏黨)
어느 한쪽에 치우침.

송강 해설

완벽하게 공(空)한 이치를 깨달으면 주관과 객관 어느 하나에도 떨어지지 않을뿐더러 또한 주관과 객관을 부정하지도 않는다. 거울은 비어 있는 상태이기에 비춰졌던 어느 한 영상에 집착하지도 않지만, 어떤 영상을 부정하고 비춰주지 않으려는 것도 없다. 그래서 최고의 지혜를 '크고 원만한 거울 같은 지혜'라는 뜻의 대원경지(大圓鏡智)라고 표현한다.

세상이 주관과 객관의 조화로 이루어지는 것임을 분명하게 알았다면 무엇을 취하지도 않지만 무엇을 버리지도 않는 것이다. 그것은 대원경지에 이르기 전에 이미 평등성지(平等性智)에서 도달한 경지이다. 거친 것은 거친 그대로 보고 정밀한 것은 정밀한 그대로를 보고 쓰는 것이다. 집착을 놓아버리면 모든 것이 귀한 존재이다.

대도체관　　무이무난
大道體寬하야 **無易無難**이어늘

소견호의　　전급전서
小見狐疑하야 **轉急轉遲**로다.

커다란大 도는道 근본이體 넓어서寬

쉬울 것도易 없고無 어려울 것도難 없는데無,

작은小 견해로見 여우같이狐 의심하여疑

급하게急 할수록轉 더욱더轉 더디어지네遲.

대도(大道)
크다는 것은 모든 것을 포용하는 도의 특징을 설명한 것으로, 소도(小道)의 상대적 개념으로서의 대도(大道)가 있다는 뜻이 아님.

무이무난(無易無難)
도는 쉽다거나 어렵다거나 할 수 있는 것이 아님.

호의(狐疑)
여우처럼 의심이 많음. 매사에 의심을 함.

송강 해설

　도는 크고 넓다. 모든 것을 다 포용하는 것이 도이다. 하지만 도는 쉬운 대상도 어려운 대상도 아니다. 도는 대상이 아니라 삶의 진실 그 자체이기 때문이다. 사람들은 각자가 생각하는 대로 도가 쉬우니 어려우니 하지만, 도란 쉽고 어려울 것이 없는 경지이다. 쉽다거나 어렵다거나 하는 것은 사람들의 생각과 집착의 문제이지 도와는 상관없는 일이다. 도는 그런 생각과 집착의 너머에 있기 때문이다.

　선지식들이 '도를 깨닫는 것이 어렵지 않다'는 표현을 하는 것은 분별과 집착을 놓기만 하면 되기에 '어렵지 않다'고 한 것이다. 그러나 사람들의 의심은 그칠 줄 모른다. 매 순간 의심하면서 걸리니 전혀 나아갈 수가 없다. 괜히 마음만 급할 뿐, 성과는 없는 것이 범부의 분별이다.

집지실도　　필입사로
執之失度라　**必入邪路**하고

방지자연　　체무거주
放之自然이라　**體無去住**로다.

도에之 집착하면執 법도를度 잃어失

반드시必 삿된邪 길로路 들어가고入,

도를之 놓으면放 저절로自 그러하여然

근본엔體 가고去 머무름이住 없도다無.

──────────────────────────

집지(執之)
그것(之)을 집착하면. 그것은 앞에서 말한 도(道). 방지(放之)의 지(之)도 마찬가지임.

송강 해설

　제 스스로 머리로 그린 도를 정해 놓고 거기에 매달리면 변화무쌍한 눈앞의 경계에 속수무책이다. 그러니 보이지도 않는 절대자에게 매달리거나 아니면 선지식이 도를 가지고 있다고 착각하여 구걸하려 든다. 그 도만 얻으면 만사형통일 것이라고 생각하면서. 이렇게 착각하는 사람은 삿된 사람들에게 늘 속임을 당한다. 돈으로 살 수 있는 '도' 따위는 존재하지 않는다. 억만금의 불사(佛事)를 했다고 구경할 수 있는 '도' 따위는 없다. 오죽했으면 달마 대사께서 양무제에게 '공덕이 없다'고 일갈하셨을까. '나'라는 집착도 사라지고(無我) '내 것'이라는 생각도 사라진다면(無所有), 도는 바로 앞에 있는 것이다. 하지만 그 도는 한번도 사라진 적이 없으니 물론 새로 생긴 것도 아니다. 자기가 보지 못했을 뿐이고 함께하지 못했을 뿐이다. 놓고 보면 스스로가 바로 도와 더불어 있음을 알게 된다. 그렇지만 이때는 이미 도라는 것도 생각지 않으니, 도와 함께 있다는 것도 그저 표현이 그렇다는 말이다.

중국 사천성 아미산의 정상 3,078m에 있는 보현보살상
- 안개로 잘 보이지 않는다.

아미산의 보현보살상 - 안개가 걷히자 분명한 모습이 보인다.
- 정말 보현보살을 본 것일까?

신심명 09 — 바깥 경계 멀리한다고 깨닫는 것 아니다

任性合道하면 逍遙絶惱하고
임성합도　　　소요절뇌

繫念乖眞이면 昏沈不好니라.
계념괴진　　　혼침불호

본성에性 맡기어任 도에道 합하면合
편안하고 한가로워逍遙 번뇌가惱 끊기고絶,
생각에念 얽매여繫 참됨과眞 어긋나면乖
정신이 까부라져昏沈 좋지가好 않느니라不.

소요(逍遙)
편안하고 한가로이 돌아다님. 자유로이 돌아다님.

혼침(昏沈)
범어 스따아나(stāna-명함)의 번역. 인식상황 속에서 인식주체인 식(識)을 어둡고 답답하게 하는 심리작용. 경쾌하고 편안한 마음을 장애하며 밝게 살피는 능력을 막음.

송강 해설

　나이 들수록 가진 게 많고, 많이 배운 사람일수록 가진 게 많다. 무엇이 많은고 하니, 마음에 이리저리 그려 놓은 그림이 많다는 것이다. 마음에 그려 놓은 모든 그림을 다 없애버리고 나면 그것을 일러 본성에 맡긴다고 표현한다. 이 경지가 되면 모든 삶이 도가 된다. 이런 삶은 무엇을 하건 편안하고, 아무리 많은 일을 해도 한가롭다. 당연히 번뇌라고 할 것이 없다.

　어떤 이들은 생각을 많이 하는 것을 깨어 있는 것이라고 착각한다. 생각이란 거울에 비치는 그림자와 같다. 만약 그림자가 비칠 때마다 물감으로 그 모양을 그리기 시작하면 곧 거울은 물감으로 가득해서, 비춰 보여주는 기능이 멈추고 만다. 그것은 거울이 아니다. 사람이 이처럼 되면 지혜가 나올 수 없다. 그러므로 생각이 많으면 곧 정신이 혼탁하고 까부라진다.

이곳의 부처님은 번거로실까 한가로우실까?
—중국 낙양 용문석굴의 대불전

> 불호로신　　　　하용소친
> **不好勞神**이어늘 **何用疎親**가
>
> 욕취일승　　　　물오육진
> **欲趣一乘**인댄 **勿惡六塵**하라.

좋지好 않으면不 마음작용神 괴롭히거늘勞,

어찌何 멀리함과疎 가까이함을親 쓸 것인가用.

부처가 되는 길로一乘 나아가고자趣 한다면欲,

바깥의 모든 대상을六塵 싫어하지惡 말라勿.

....

일승(一乘)
불교의 참다운 가르침은 오직 하나로, 부처가 되는 것을 목적으로 한다는 것.
『법화경』「방편품(方便品)」에서 다음의 구절이 있음.
시방불토중(十方佛土中)에 유유일승법(唯有一乘法)이요
무이역무삼(無二亦無三)이니 제불방편설(除佛方便說)이니라
온 우주의 부처 나라에는 오직 부처 되는 가르침(一乘法)만 있고

두 가지 깨달음 경지(二乘)나 세 가지 깨달음 경지(三乘)가 없음이니,
(이전에) 부처가 방편으로 설명한 것은 버릴지니라」

이전에는 중생의 성질이나 능력에 응해서 성문(聲聞)·연각(緣覺)·보살이라는 세 가지의 경지가 있는 것을 말했으나, 이는 진정한 목적이 아니라는 것을 밝힌 것임.

육진(六塵)
여섯 가지 인식주체인 육식(六識)이 여섯 가지의 인식 기관인 눈, 귀, 코, 혀, 살갗, 마음의 육근(六根)을 통해 만나는 여섯 가지의 대상인 모양, 소리, 냄새, 맛, 감촉, 이치의 육경(六境)을 말함. 일반적으로는 번뇌를 일으키는 요인으로 설명됨.

송강 해설

온갖 생각으로 쉬질 못하고 혼탁하고 까부라져 있다면 이는 스스로가 자신의 정신작용을 괴롭히고 있는 셈이다. 이처럼 스스로가 괴로움을 만들고 있으면서, 일상적인 삶은 번거롭다고 멀리하려고 하고 불법(佛法)은 좋다고 경전만 끼고 살려는 이들이 있다.

만약 스스로가 번거로운 사람이라면 절해고도(絶海孤島)에 있어도 번거롭다고 괴로워할 것이며, 만약 스스로 맑고 밝다면 시장에서 흥정을 하면서도 편안하고 자유로울 것이다. 그러니 바깥 경계를 탓하면서 일상의 삶과 담 쌓고 산다고 편안해지는 것이 아님을 알아채야 한다.

이 문을 들어서면 삼조 승찬 대사를 친견할 수 있을까?
– 중국 삼조사 일주문

신심명 10 마음으로 마음을 찾지 말라

육진불오　　환동정각
六塵不惡하면 **還同正覺**이라.

지자무위　　우인자박
智者無爲나 **愚人自縛**이로다.

바깥의 여섯 대상六塵 싫어하지惡 않으면不,
돌아가還 바른 깨달음과正覺 같아지니라同.
지혜로운 이는智者 번뇌라고 할 것이 없으나無爲,
어리석은 사람은愚人 스스로自 얽매이도다縛.

정각(正覺)
바른 깨달음. 무상정등각(無上正等覺) 즉 '가장 높고 바르며 평등한 깨달음'을 줄인 말로 부처님의 깨달음을 가리킴.

무위(無爲)
일반적으로는 인위적이고 조작된 법도를 초월하는 것을 뜻함.

불교에서는 일체의 번뇌가 사라져 평화로워진 열반(涅槃)을 뜻하며, 부처님께서 깨달으신 경지를 가리킴.

송강 해설

　바깥의 여섯 대상이란 곧 우리가 사는 현실의 갖가지 모습이다. 사람들은 대개 대상을 취하려고 하거나 멀리하려고 한다. 두 가지 현상이 정반대인 것처럼 보이지만, 대상에 집착하는 것은 동일하다. 집착하고 있으니 자유롭지 못하고, 그 대상으로 인해 괴로워한다. 좋아하는 것은 취하지 못해 괴롭고, 싫어하는 것은 멀리하지 못해 괴롭다. 취하려고 하는 것은 부자, 출세, 유식, 젊음, 아름다움, 건강, 장수 등일 것이다. 멀리하려는 것은 가난, 말단 또는 무직, 무식, 늙음, 질병, 단명 등일 것이다. 만약 이러한 것들 중 어느 것에 처할지라도 담담해질 수 있다면 언제나 편안할 것이며, 이미 늘 편안한데 어찌 괴로움에서 벗어나는 방법을 찾겠는가.

　지혜로운 사람은 모든 것을 밝게 보기에 끌려다니지 않는다. 이미 끌려다니지 않으니 벗어나려고 발버둥치지도 않는다. 언제나 자유자재하다. 하지만 어리석은 사람은 자신이 만나는 대상이 잠시 인연에 의해 스쳐 지나가는 것인 줄을 모른다. 그러므로 그 대상에 집착하게 되고, 집착하는 순간부터 끌려다니게 된다. 대상이 그를 끌고 다니는 것이 아니다. 오직 스스로의 어리석음이라는 밧줄이 자신을 꼼짝 못하게 묶어서 끌고 다니는 것이다.

법무이법	망자애착
法無異法이어늘	妄自愛着하고
장심용심	기비대착
將心用心하니	豈非大錯가.

법에는法 특별한異 법이法 없거늘無
망령되이妄 스스로自 애착하고愛着,
마음을心 가지고將 마음을心 쓰니用
어찌豈 크게大 어긋남錯 아니겠는가非.

법(法)
존재, 이치, 진리, 부처님의 가르침 등의 뜻이 있음.

송강 해설

　존재나 이치에는 특별한 것이 없다. 존재에 대해 고귀한 것과 보잘것 없는 것이라는 구분을 하지만, 이것은 기준에 따라 달라지는 것이다. 또한 물질적이거나 정신적인 모든 존재는 무상하다는 점에서 동일하며, 끝없이 변해가기에 본질이 비어 있는 공(空)이라는 점에서도 동일하다. 그러나 사람들은 끝없이 좋고 나쁨을 따지며 애착한다. 심지어 해탈을 목적으로 하는 수행자들도 그 해탈을 위한 온갖 방법을 두고 자신이 행하는 것이 최고라고 애착한다. 그래서 선(禪-선정)과 교(敎-이치)를 따지고, 이(理-이치, 마음)와 사(事-현상, 육체)를 나눈다. 하지만 진짜 목숨을 걸고 수행하여 해탈경지에 이른 사람에게는 이런 구분은 아무 의미가 없는 것이다. 나눌 수 있는 것이 아닌 것이다.

　불교의 공부를 흔히 마음공부라고 한다. 마음을 찾는 공부라는 뜻이다. 그럼 찾는 마음과 찾으려는 마음은 어떻게 될까? 마음에 두 가지 또는 몇 가지의 이름을 붙인 것은 그 작용의 상태를 가리킨 것일 뿐이다. 그러므로 찾는 마음 그 본래의 자리로 되짚어 들어가야 하는 것이다. 만약 끝끝내 가상의 마음만을 찾고 있다면, 그는 영원히 마음을 찾지 못하고 말 것이다.

이 새들이 상상 속의 하늘을 찾고 있다면
아마도 진짜 하늘 찾는 것이 불가능하리라

11 모든 견해를 다 놓고 쉬어라

미생적란　　오무호오
迷生寂亂하고 悟無好惡이니

일체이변　　양유짐작
一切二邊은　良由斟酌이로다.

미혹하면迷 고요함과寂 어지러움이亂 생기고生

깨달으면悟 좋아함과好 미워함이惡 없나니無

일체의一切 두 가지 극단적인 견해는二邊

참으로良 어림쳐서 헤아림을斟酌 말미암는다由.

이변(二邊)
두 가지 상대적인 견해. 양극단.

짐작(斟酌)
어림잡아 헤아리는 것.

송강 해설

　사람들은 복잡해지면 자꾸 조용한 곳을 찾게 된다. 그래서 머리가 복잡하다고 절에 오는 사람이 있다. 물론 절에서는 옆에서 자꾸만 시끄럽게 굴거나 복잡하게 만들지를 않으니, 당연히 도움이 되기는 할 것이다. 그런데 이런 사람이 절에 와 있으면 점차 주변을 소란스럽게 만들어 풍파를 일으킨다. 즉 자신이 어리석어서 자꾸만 복잡한 일을 만들어 버리는 것이다. 복잡하니 당연히 어지럽게 된다. 이 사람이 있는 장소가 복잡한 것이 아니라, 이 사람 때문에 복잡해진 것이다.

　깨달은 사람은 어느 곳에 있어도 고요하다. 좋아하거나 미워하는 것이 따로 있는 것이 아니기에, 가지려 억지를 부리거나 멀리하려고 부산을 떨지 않기 때문이다.

　두 가지 경계란 실제로 존재하는 것이 아니다. 머리에서 만들어내는 그림자이다. 실체 없는 그림자를 만들어 놓고 고집을 피우니, 나중에는 진짜 있는 것처럼 생각된다. 하지만 실제로는 신기루를 실물처럼 짐작했을 뿐이다.

몽환공화　하로파착
夢幻空華를 何勞把捉가
　득실시비　일시방각
得失是非를 一時放却하라.

꿈이며夢 허깨비며幻 허공 꽃인데空華

어찌하여何 애써勞 잡으려 하는가把捉.

얻음과得 잃음失 옳음과是 그름을非

한꺼번에一時 놓고放 쉬어야 하리라却.

송강 해설

　사람들은 자기 주장을 관철하기 위해 온갖 이론을 다 동원하지만, 본디 자기 주장 자체가 실체가 없어서, 꿈과 같고 허깨비 같으며 눈 비빈 뒤 나타나는 허공 꽃 같은 것일 뿐이다. 그러니 관철한다고 해도 부질없는 일이다.

　세상사 시끄러운 것이 별것 아니다. 각자의 주장대로 옳으니 그르니 하고 대립을 하기 때문이고, 각자의 계산법으로 손익을 따지기 때문이다. 과연 그것이 정말로 옳으며 정말로 이익일까? 그것 따지는 사람치고 자비롭고 넉넉한 사람 보지 못했다. 그러니 자유롭고 평화롭길 바란다면, 자기 안의 옳고 그름과 이익과 손해라는 생각을 놓아버려야 한다.

계산하지 않으면 즐겁다 – 2006년 8월 15일 다람살라에서
네풍 스님, 진옥 스님과 한가한 시간을 즐기는 모습

신심명 12 — 마음에 분별 없으면 만법이 한결같다

眼若不睡면 諸夢自除요
안약불수   제몽자제

心若不異면 萬法一如니라.
심약불이   만법일여

눈이眼 만약若 졸지睡 않으면不

모든諸 꿈夢 저절로自 없어지고除

마음이心 만약若 다르지異 않으면不

모든 법萬法 차별 없이 한결같으니라一如.

만법(萬法)
물질적 존재와 정신적 사유의 존재.

일여(一如)
진여(眞如)의 이치가 평등하고 차별이 없어서 둘이 아니고 하나임.

송강 해설

　사람들은 꿈을 꾸고는 좋은 꿈이 어떻고 나쁜 꿈이 어떻고 하며 야단이다. 꿈은 좋아도 꿈일 뿐이고 나빠도 꿈일 뿐이다. 악몽을 그치는 가장 빠른 방법은 잠을 깨는 것이다.

　마음에 괴로움이 있다면 어떻게 해야 빨리 벗어날 수 있을까? 마음에 파도가 없으면 된다. 괴로움이 어디에서 왔는가를 살펴보라. 자기의 분별심이 만들어 낸 악몽이다. 마음이 항상 깨어 있어서 어떤 경우에도 평등하고 고요하다면, 세상 모든 것이 아름답고 멋진 모습인 것이다.

일여체현　　올이망연
一如體玄하야 兀爾忘緣이요

만법제관　　귀복자연
萬法齊觀하면 歸復自然하니라.

한결같음은一如 본체가體 심오하여玄
우뚝하여兀 그렇게爾 인연緣 잊어서忘
모든 법이萬法 가지런히齊 드러난다면觀
돌아가歸 본래의 모습自然 회복하리라復.

송강 해설

　사람들은 한결같다는 말을 아주 쉽게 사용하지만, 그 경지는 해탈에 이르렀을 때만 가능한 것이다. 언제나 온갖 생각 일으키고 그 생각에 끌려다니며 희로애락의 파도를 일으키면서 '한결같다'고 하는 것은, 구름을 하늘이라고 하는 것과도 같다. 온갖 인연으로부터 초월하여 흔들림 없이 우뚝할 때, 비로소 한결같다고 할 수 있는 것이다.

　한결같은 마음으로 보면 모든 존재가 제 모습을 드러낸다. 좋고 싫은 것이 아닌 있는 그대로의 모습을 봐야 한다. 그때 비로소 세상은 적멸해진다. 적멸한 상태에서 싹이 돋고 꽃이 피며, 열매 맺고 빈 가지로 돌아가는 것이다.

한 생각 일으키지 않고 보면 여기 시공간이 고스란히 보인다.

13 양극단이 사라지면 중도도 없다

민기소이   불가방비
泯其所以면 不可方比라

지동무동   동지무지
止動無動이요 動止無止니라.

나눠질其 까닭을所以 없애버리면泯

견주어方 비교할比 수가可 없느니라不.

그치면서止 움직이니動 움직임이動 없고無

움직이면서動 그치니止 그침이止 없느니라無.

송강 해설

쓸데없이 이해득실을 따지고 나누어, 좋으니 싫으니 옳으니 그르니 하다 보니 마치 두 가지가 있는 듯이 보이는 것이다. 그런데 바로 그 이해득실을 놓아버리고 나면 비교할 대상이 사라져 버리는 것이다. 사람들은 어찌 이해득실을 따지지 않고 살 수 있느냐고 묻는다. 그런데 이해득실 따지는 것이 문제가 되는 것은 그 뒤에 오는 대립과 투쟁과 괴로움 때문임을 알아야 한다. 즉 이해득실을 따져도 뒤의 상황이 전개되지 않는다면 아무런 문제가 될 것이 없다는 것이다.

부처님께서 45년간 사람들에게 이익이 되는 것을 가르치시려 애쓰셨지만, 당신의 이익을 구하지 않았기에 그 노력으로 인한 괴로움이 없었다. 부처님께서는 이미 보리수 아래에서 괴로움을 그쳤다. 그러니 아무리 교화의 삶이 힘들어도 괴로움이 일어나지 않는 것이다. 45년간 끝없이 움직이셨지만 늘 그 마음은 고요한 상태로 번뇌가 그친 상태였던 것이다.

양기불성　　일하유이
兩旣不成이니 **一何有爾**아
구경궁극　　부존궤칙
究竟窮極하면 **不存軌則**이니라.

둘이兩 처음부터旣 이루지成 못하거니不
하나가一 어찌何 있을 수有 있겠는가爾.
파고들어究 마침내竟 끝에 이르면窮極
정해진 준칙을軌則 두지存 않느니라不.

송강 해설

　선(善)과 악(惡)이라는 것이 본래부터 있었을까? 만약 있었다면 공(空)은 성립되지 않는다. 부처님께서 깨달았다는 연기법(緣起法)도 거짓이 되는 것이다. 선과 악이란 사람들이 만든 것에 불과하다. 역시 자신의 편의에 의해 나눈 것이거나 자기 편리한 대로 행동해 버린 결과로 생긴 임시적인 결과인 것이다. 만약 그런 일을 벌이지 않았다면 본래는 없는 것이다. 이것을 분명히 깨달아 버리면 중도라는 것도 없다는 것을 동시에 깨닫는다.

　중도를 가르치는 것은 양극단에 떨어져 대립하고 다투며 괴로움을 일으키기 때문이다. 목적지에 이른 사람은 길을 걱정하지 않는다. 어떤 교통편을 이용할지도 고민하지 않는다. 중간휴게소도 찾지 않는다. 더 이상 이정표도 보지 않는다.

이 부처님께 어떤 경전이 필요하며 어떤 기도가 필요하겠는가

신심명 14 분별없는 것이 바른 믿음이다

계심평등　　소작구식
契心平等이면 **所作俱息**이며

호의정진　　정신조직
狐疑淨盡이면 **正信調直**이라.

본마음에心 계합하여契 평등케 되면平等

지어지고所 짓는 것이作 함께俱 쉬며息,

여우같은狐 의심이疑 맑아져淨 다하면盡

바른正 믿음이信 조화롭고調 바르니라直.

송강 해설

 차별을 일으키는 것은 아직 본마음 자리에 이르지 못하고 끝없이 흔들리며 헤아리는 단계에 있다는 증거이다. 이 단계에서는 판단하는 주관과 판단되어지는 대상이 따로 존재하며 대립한다. 만약 본마음에 이르면 그 모든 분별이 쉬며 주관과 객관이 고요해진다. 믿음이란 무언가를 만들어 내는 것이 아니다. 무언가에 매달리는 것은 더더욱 아니다. 흔들리지 않은 마음이 곧 믿는 마음이다. 더 이상 흔들리지 않아 모든 것을 있는 그대로 볼 때 비로소 바른 믿음에 서게 된 것이다.

일체불유　　무가기억
一切不留하니 無可記憶이요

허명자조　　불로심력
虛明自照하니 不勞心力이니라.

모든 것에一切 머물지留 아니하니不
기억할記憶 만한 것이可 없으며無
비고虛 밝아서明 스스로自 비추니照
수고로이勞 마음 쓸 일心力 아니로다不.

송강 해설

바른 믿음에 이른 사람은 그 무엇에도 집착하지 않는다. 집착하지 않으니 후회하거나 끌려다닐 것이 또한 없다. 그러니 그 마음에 무엇이 담겨 있겠는가. 언제나 비어 있고, 비어 있으니 거칠 것 없이 밝다. 밝으니 모든 것을 남김없이 비추고, 다 비추니 고스란히 드러난다. 이 경지에서는 무슨 마음 쓸 일이 있겠는가.

포대화상을 그린 것도 한 생각 일어남이요.
사진을 찍으려 보는 것도 한 생각이다.
그 생각에 자취 없으니 이 사진에 기쁨이나 슬픔이 있겠는가.

15 참마음에는 남도 나도 없다

비사량처   식정난측
非思量處라 **識情難測**이니

진여법계   무타무자
眞如法界엔 **無他無自**로다.

생각으로 헤아리는思量 곳이處 아님이라非

의식과識 망정으론情 알기測 어려우니難,

참마음을 깨달아서眞如 펼치는 세계에는法界

남이랄 것他 없고無 자기랄 것自 없도다無.

사량(思量)

일반적으로는 생각한다는 뜻으로 사용됨. 불교에서는 참다운 진리를 모른 채 그릇되게 생각한다는 뜻.

식(識)

깨달음에 이르지 못한 상태에서의 인식하는 주체. 혹은 제6의식.

정(情)

인식주체가 일으키는 작용 즉 깨달음에 이르지 못한 단계에서의 인식작용. 번뇌의 다른 표현. 흔히 망정(妄情)이라고 함.

진여법계(眞如法界)

진여는 본성 또는 참마음. 즉 깨달음의 경지에 이른 마음. 진여법계는 이 깨달음에서 펼쳐지는 세계.

송강 해설

앞에서 말한 바른 믿음의 경지나 비고 밝아서 스스로 비추는 경지는 연구하고 분석하며 헤아린다고 도달할 수 있는 경지가 아니며, 인식의 주체나 인식작용이 완전히 본래의 자리로 돌아가지 않은 단계에서는 헤아려 알 수 있는 것도 아니다. 본래의 성품자리인 진여에서 펼쳐지는 지혜의 세계에서는 나와 남, 옳은 것과 그른 것이라고 하는 상대적이고 대립적인 것이 있을 수 없는 것이다.

우리는 흔히 온갖 통계자료를 제시하며 자기주장을 관철하려고 하고, 기존의 온갖 자료를 다 모아서 제시하며 자기가 본 것이 옳다고 주장한다. 그러나 삼부능선의 동서남북 계곡과 언덕에 대한 자료를 모아서 하나로 만든다고 그것이 산의 정상에서 본 것과 같아지겠는가. 삼부능선에서는 동서남북이 엄연히 다른 것처럼 보이지만, 꼭대기에서 보면 그저 하나의 산일 뿐이다.

요급상응　　　유언불이
要急相應인댄 **唯言不二**니

　　불이개동　　　무불포용
不二皆同하야 **無不包容**이로다.

재빨리急 서로 응해 어울리려相應 한다면要
오직唯 둘 아닌 경지를不二 말할 따름이니言
둘 아닌 경지에서는不二 모두가皆 같아서同
감싸包 받아들이지容 못할 것不 없도다無.

송강 해설

　마음과 마음이 하나로 통하려면 본성을 먼저 봐야만 한다. 본성을 보고 난 뒤에는 굳이 통하려고 하지 않아도 그냥 통한다. 통하려고 애쓰는 사람은 그 노력이 가상키는 하지만, 아직 둘 아닌 경지에 이르지 못한 것이다. 둘이 아닌 경지란 둘 다 없어진다는 뜻이 아니다. 둘은 서로 다른 모양으로 존재하는 것처럼 보이지만 본질이 같음을 이미 깨달았기에 대립과 갈등이 없는 것이다. 그러니 포용한다는 말도 딱 들어맞는 표현은 아닌 것이다.

도미니코 신부님과 라이문도 신부님이 방문하여
차를 마신 후 마당에서 함께 담소하는 모습
– 여기 무슨 종교가 있는가.

신심명 16 ― 시간과 공간에 걸리지 않는 자리

시방지자　개입차종
十方智者가 **皆入此宗**이라

종비촉연　일념만년
宗非促延이니 **一念萬年**이요

무재부재　시방목전
無在不在하야 **十方目前**이로다.

온 세상의十方 지혜로운智 사람들이者

모두皆 이此 본성으로宗 들어옴이라入.

본성이란宗 짧거나促 긴 것이延 아니니非

한 순간一 생각이念 만년의 세월이며萬年

있음과在 있지 않음이不在 모두 없어서無

온 세상이十方 바로 눈앞에 펼쳐졌도다目前.

시방(十方)
동서남북과 그 사이와 상하. 곧 모든 세상.

차종(此宗)
이 근본도리. 즉 앞에서 말한 불이(不二)의 본성.

송강 해설

어리석을 때는 자기가 본 한쪽만을 오로지 옳다고 주장한다. 그러나 둘 아닌 경지에 이르고 보면 양극단에서 벗어나 근본으로 돌아간다. 결국 수행의 최종 도착점은 드높은 별천지가 아니라, 한 생각 일어나기 이전의 자리인 것이다. 한 생각 일어나기 전이니 둘 아니라는 불이(不二)도 군더더기이다.

본성의 자리는 시간의 한계를 벗어나 있다. 거기에는 오래 수행했다거나 수행한지 얼마 되지 않는다는 등의 분별이 필요 없으며, 단명(短命)이니 장수(長壽)니 하는 것도 아무 의미가 없다. 그 경지에서는 한순간과 무량겁이 전혀 다르지 않기 때문이다.

모든 철학과 종교가 존재하는 것과 존재하지 않는 것에 대해 심각하게 논의하고 규명을 하려고 한다. 그 결과가 만약 어느 한쪽을 가리키고 있다면 아직은 문밖의 소식이다. 행복 찾아 지구 끝까지 헤맬 것 없고, 진리 찾아 세상 밖으로 내달릴 것 없다. 이미 바로 눈앞에 그대로 펼쳐져 있지 않은가.

불기를 정리하는 자리엔 편안한 사람만 들어간다.

신심명 17 지켜야 하는 것이 무엇인가?

極小同大하야 忘絶境界하고
極大同小하니 不見邊表로다.

지극히極 작은 것은小 큰 것과大 같아서同
나누어진 한계를境界 모두 잊고 끊으며忘絶,
지극히極 큰 것은大 작은 것과小 같아서同
가장자리와邊 겉면을表 볼 수見 없도다不.

송강 해설

 '지극히 작다'는 것은 '크기'를 넘어서 버린 경지를 일컫는다. 이미 크기를 넘어섰는데, '크다'는 것이 존재할 수 있는가. 마음이라고 규정할 것들이 점차 작아져서 극점에 이르면 무엇이라 할까? 그 경지가 되어야 비로소 마음이 큰 사람이라고 표현할 수 있을 것이다. '지극히 크다'는 것도 또한 '크기'를 넘어선 경지이다. 아주 잴 수 없을 정도까지 커진 마음이라야 바늘 하나 세울 수 없는 가난함 즉 작은 마음이다. 그 작음이란 변두리나 표면을 볼 수 없는 경지이다. 왜 그럴까? '중심'이랄 것도 없고 '안'이라고 할 것도 없는 작음이기 때문이다.

 '마음'을 설명하려고 들면 팔만 사천 법문이 되고, 팔만대장경이 가리키고 있는 것을 요약하면 '마음'이 된다. 하지만 헤아리고 있다면 큰 것과 작은 것에 떨어졌다.

유즈시무　무즉시유
有卽是無요 **無卽是有**니
약불여차　불필수수
若不如此면 **不必須守**니라.

있음은有 곧卽 이에是 없음이요無
없음은無 곧卽 이에是 있음이니有
만약若 이와此 같지如 않다면不
꼭須 지킬守 필요가必 없느니라不.

송강 해설

　사전을 펼쳐 두고 있음과 없음을 살핀다면 지금 이 구절은 엉터리다. 사전을 태워 버린 뒤, 마음에도 '있음'과 '없음'이 사라진다면 이 구절에 수긍할 것이다. 만약 이것이 수긍되지 않는다면 감히 신심(信心)을 거론해서는 안 된다. 이미 신심이 아닌데 흔들림 없는 자리가 되겠는가. 그러니 적멸(寂滅)은 까마득한 얘기이다. 만약 적멸하지 않으면서 무언가를 보물처럼 가지고 있다면, 설사 그것이 '공(空)'이라거나 '불이(不二)'라 할지라도 지금 바로 버리는 것이 좋을 것이다. 왜냐하면 그것은 보물이 아니라 자신을 해치는 흉기가 될 것이기 때문이다.

이 천왕이 지키려는 것이 무엇일까?
사찰일까 아니면 스님들일까?

신심명 18 말로 표현할 수 없는 자리

일즉일체　일체즉일
一卽一切요 一切卽一이니

단능여시　　하려불필
但能如是면 何慮不畢가.

하나는一 일체로一切 나아가고卽

일체는一切 하나로一 나아가니卽

다만但 능히能 이와 같다면如是

어찌何 마치지畢 못할까不 걱정하랴慮.

즉(卽)

불교 경론에서 이 글자의 쓰임은 참 중요하다. 대개는 '곧'이라고 하여 동격으로 번역하는데, 여기에서도 그렇게 번역하면 무난하겠다. 하지만 즉입(卽入) 즉 모든 현상의 본질과 작용은 서로 융합하여 걸림이 없다는 뜻으로 보면 더 확실하다.

송강 해설

하나를 하나라는 개념으로 규정짓지만 않으면 전체와 별개의 것이 아니고, 마찬가지로 전체는 또한 하나 속으로 들어가는 것이다. 불법을 깨우치기 위해서 팔만대장경을 다 통달해야 된다고 한다면 과연 몇이나 부처님과 만나겠는가. 팔만대장경이 공(空), 한 글자로도 되고, 공(空)이 팔만대장경도 된다. 만약 공(空)하지 않으면 팔만 사천으로 벌릴 수 없고, 팔만 사천이 공(空)으로 돌아가지 못한다면 팔만 사천이 아닌 것이다.

> 신심불이　　불이심심
> **信心不二**요　**不二信心**이니
>
> 언어도단　　비거래금
> **言語道斷**하야 **非去來今**이로다.

믿는信 마음은心 둘이二 아니고不
둘二 아님이不 믿는信 마음이니心
말로 설명할言語 길이道 끊어져斷
과거去 미래來 현재가今 아니로다非.

송강 해설

이제 『신심명』을 마무리하는 단계에 왔다. 처음에 가려서 선택하지만 않으면 도(道)에 이르는 것은 어렵지 않다고 했다. 그런 후 이제까지 가려서 선택하지 않는 경지에 대해 설명을 한 셈이다. 그것을 정리하는 것이 바로 이 대목이다. 진정한 믿음이란 어떤 것일까? 흔들리지 않는 마음이다. 어떻게 해야 흔들리지 않을까? 파도가 없어야 한다. 어떻게 하면 파도가 없을까? 평등하고 생멸이 없어야 한다. 그러려면? 둘이 아니어야 한다. 바로 이것이 신심인 것이다.

부득이하여 말로 풀이해 보았다. 그럼 이 풀이를 본 사람은 신심으로 충만할까? 여기 설명을 외워 잠꼬대를 할 정도라도 신심은 아니다. 시간과 공간마저도 끊어진 자리라야 한다.

참으로 이 미소와 만날 수 있다면 신심이라 하리라
- 북제(北齊, 550~577)시대의 불상

신 심 명
信 心 銘

초판 발행 2017년 5월 26일

지은이   삼조 승찬 대사

역해   시우 송강

사진   시우 송강

발행인   이상미

발행처   도서출판 도반

편집팀   김광호, 이상미

대표전화   031-465-1285

이메일   dobanbooks@naver.com

주소   경기도 안양시 만안구 안양로 332번길 32

ISBN 978-89-97270-42-2 (03220)

* 이 책은 저작권법에 의해 보호를 받는 저작물이므로 무단 전재와 무단 복제를 금합니다.

* 인터넷에서 개화사를 검색하시면 송강 스님을 만나보실 수 있습니다.

http://cafe.daum.net/opentem